La cuisine légère

© 2000 PPO
© 2000 PICCOLIA pour la présente édition
4, avenue de la Baltique - 91986 Villebon

Diffusion exclusive en Belgique et au Luxembourg pour la langue
française : Daphné Diffusion à Gent

Dépôt légal : 2ème trimestre 2000
Imprimé en France par P.P.O. Graphic
93500 Pantin

La cuisine
légère

FACILE **LONG**

Préparation : 40 mn
Cuisson : 30 mn

Ingrédients
(pour 4 personnes)

• 12 huîtres
• 250 g de bigorneaux
(pour 50 g décortiqués)
• 150 g de blancs de
poireaux
• 100 g de pommes de
terre
• 10 g de beurre
• 2 cuil. à soupe de crème
fraîche à 15 % de
matières grasses
• 1 cuil. à soupe de
vinaigre blanc
• 1 bouquet garni
• cerfeuil
• 40 cl de vin blanc
• sel, poivre

Potage aux huîtres et aux bigorneaux

1 Dans une casserole, versez 50 cl d'eau, ajoutez vinaigre, sel, poivre et bouquet garni. A ébullition, plongez-y les bigorneaux. Faites-les cuire 3 à 4 mn. Laissez-les refroidir dans le jus de cuisson, égouttez-les, puis décortiquez-les à l'aide d'une épingle.

2 Emincez finement les blancs de poireaux nettoyés et les pommes de terre pelées. Dans une casserole, faites revenir les poireaux émincés dans le beurre chaud. Mouillez avec le vin blanc, portez à ébullition, puis mouillez d'eau à hauteur des ingrédients.

3 Ajoutez les pommes de terre. Assaisonnez légèrement (le jus des huîtres qui sera ajouté ultérieurement contient naturellement du sel), et laissez cuire 25 mn.

4 Ouvrez les huîtres, ôtez-les de leur coquille et récupérez le jus. Filtrez-le. Répartissez les huîtres dans les assiettes de service creuses chaudes, puis versez-y le potage brûlant mélangé au jus des huîtres et à la crème fraîche. Parsemez de pluches de cerfeuil.

ASSEZ FACILE   **RAPIDE**

Soupe de cerfeuil et œuf poché

Préparation : 10 mn
Cuisson : 20 mn

Ingrédients
(pour 6 personnes)

- 6 bottes de cerfeuil bien vert
- 250 g de croûtons
- 6 œufs très frais
- 1 grosse pomme de terre (bintje)
- 1 dl de vinaigre
- 150 g de beurre
- sel

1 Faites bouillir 1,5 litre d'eau avec la pomme de terre pelée et finement émincée. Salez. Lavez et coupez grossièrement le cerfeuil. Chauffez le beurre dans un faitout. Faites-y suer le cerfeuil pendant 20 secondes, puis versez par-dessus l'eau chaude et la pomme de terre. Portez à ébullition. Mixez le tout.

2 Dans une casserole, faites bouillir de l'eau avec le vinaigre. Cassez les œufs dans l'eau et faites-les pocher 3 mn. Ne faites pas cuire plus de 3 œufs à la fois

3 Présentez la soupe dans des assiettes creuses, avec un œuf poché sur chaque assiette. Servez les croûtons à part.

FACILE **LONG**

Préparation : 40 mn
Cuisson : 1 h 15

Ingrédients
(pour 4-5 personnes)

• 250 g de carottes
• 250 g de navets
• 1 oignon
• 100 g de chou
• 100 g de blancs de
poireaux
• 4 pommes de terre
moyennes
• 4 cuil. à soupe d'huile
d'olive
• sel, poivre

Soupe à la julienne de légumes

1 Epluchez et lavez soigneusement les légumes. Coupez les carottes en rondelles, les navets en quatre. Taillez le blanc de poireau en épaisses rondelles et le chou en julienne.

2 Dans une cocotte faites chauffer l'huile d'olive à feu vif et placez-y les carottes et les navets. Laissez blondir ces légumes 5 mn environ en remuant constamment à la cuillère en bois.

3 Ajoutez alors les poireaux et le chou et laissez blondir ces légumes quelques instants. Salez, poivrez et mouillez avec suffisamment d'eau pour 4 à 5 assiettées (un bon litre).

4 20 mn avant la fin de la cuisson ajoutez les pommes de terre coupées en morceaux.

5 Lorsque le potage est cuit, remuez-le soigneusement afin que les quartiers de pommes de terre s'y incorporent parfaitement.

6 Servez le potage en soupière.

Notre conseil : on relève la saveur de ce potage en hachant dans la soupière un mélange de ciboulette et d'estragon.
Pour bien acheter : pour le choix des pommes de terre de soupes et potages, l'espèce "bintje" (la plus courante et la moins coûteuse) est recommandée.

FACILE **LONG**

Préparation : 30 mn
Cuisson : 40 mn

Ingrédients
(pour 6 personnes)

- 500 g de poireaux
- 300 g de pommes de terre
- 1 bouquet de persil simple
- 40 g de beurre
- 2 cuil. à soupe de crème (facultatif)
- sel, poivre

Soupe de persil et de poireaux

1 Débarrassez les poireaux des feuilles vertes pour ne conserver que les blancs, lavez soigneusement les légumes, séchez-les et hachez-les grossièrement. Epluchez les pommes de terre, coupez-les en morceaux. Equeutez le bouquet de persil, hachez-le.

2 Faites fondre 1 belle noix de beurre dans une marmite et mettez-y les poireaux à suer quelques minutes sur feu doux. Ajoutez les pommes de terre et le persil. Mouillez avec 1 litre 1/2 d'eau. Salez, poivrez et laissez mijoter 30 mn à couvert.

3 Quand la soupe a cuit le temps convenable, passez-la ou mixez-la. Incorporez la crème, versez en soupière, parsemez de quelques brins de persil et servez aussitôt.

Notre conseil : parfumez d'une pincée de muscade et servez bien chaud avec un bol de crème fraîche à disposition.

FACILE **RAPIDE**

Caviar d'aubergines au yaourt

Préparation : 30 mn
Cuisson : 15 mn

Ingrédients
(pour 4 personnes)

- 2 belles aubergines
- 1 yaourt bulgare
- 1 filet d'huile d'olive
- 1 échalote
- sel, poivre

1 Tapissez le plat creux du four d'une feuille de papier d'aluminium, pour recueillir le jus des aubergines. Allumez le gril 10 mn à l'avance, puis lavez les aubergines, mettez-les à mi-hauteur du four sur une grille au-dessus du plat creux.

2 Faites-les griller en les retournant, jusqu'à ce que la peau craquelle, puis sortez-les du four et coupez-les en deux dans le sens de la longueur. Dégagez la chair et placez-la dans un bol.

3 Mélangez à la fourchette, afin d'obtenir une purée, puis ajoutez le yaourt et l'huile d'olive. Ajoutez ensuite l'échalote émincée.

4 Salez et poivrez. Rajoutez un léger filet d'huile d'olive.

Astucieux : l'aubergine étant très difficile à éplucher, recueillez la chair à l'aide d'une cuillère.
Servez sur des tranches de pain toastées.

DIFFICILE

RAPIDE

Préparation : 20 mn
Cuisson : 15 mn

Ingrédients
(pour 6 personnes)

- 315 g de concombre
- 1/4 de botte de coriandre
- 40 g de poivron rouge
- 250 g de fromage blanc
- 5 g de gélatine
- sel, poivre
- quelques gouttes de tabasco
- 2 piments d'Espelette
- sauce au soja
- coulis de tomates
- 2 tomates moyennes
- 1 cuil. à café de concentré de tomate
- 1/4 de poivron rouge

Moulé de concombre au fromage blanc

1 Epluchez, évidez et râpez le concombre. Salez-le, poivrez-le. Egouttez-le sur un linge. Pelez le morceau de poivron avec un couteau-économe. Détaillez-le en dés, faites-le blanchir 2 à 3 mn dans l'eau bouillante salée. Rafraîchissez-le sous l'eau froide. Ciselez les feuilles de coriandre.

2 Mélangez fromage blanc, concombre râpé, dés de poivron et coriandre. Salez, poivrez. Ajoutez le piment d'Espelette ainsi que quelques gouttes de tabasco. Mélangez puis incorporez les feuilles de gélatine préalablement trempées dans l'eau froide pour les ramollir.

3 Chemisez une terrine de papier film. Versez la préparation dedans. Rabattez les pans de papier film dessus. Couvrez et entreposez pendant 3 heures au réfrigérateur.

4 Coulis de tomates : taillez tomates et poivron en gros cubes. Mettez-les dans une casserole avec l'eau. Faites cuire 15 mn, assaisonnez, ajoutez-y le concentré de tomate. Mixez. Remettez sur le feu. Poursuivez la cuisson jusqu'à ébullition. Filtrez, laissez refroidir et servez avec une tranche de moulé.

Notre conseil : utilisez pour cette recette du fromage blanc en faisselle, égoutté. Cette entrée sera tout aussi délicieuse, et particulièrement diététique, si vous la préparez avec une fromage blanc à 0 %.

FACILE

TRÈS RAPIDE

Préparation : 10 mn
Cuisson : 10 mn

Ingrédients
(pour 4 personnes)

- 8 œufs
- 12 poireaux
- 2 oignons blancs moyens
- 1 bouquet de cerfeuil
- sel de Guérande

Vinaigrette :

- 2 cuil. à soupe de vinaigre balsamique
- 6 cuil. à soupe d'huile d'olive
- sel, poivre

Poireaux et œufs en salade

1 Epluchez et lavez les poireaux. Coupez les extrémités. Faites-les cuire 10 mn dans l'eau bouillante salée. Dans le même récipient ajoutez les œufs pour une cuisson de 6 mn.

2 Préparez la vinaigrette en mélangeant l'huile d'olive et le vinaigre. Salez, poivrez. Versez-la sur les œufs coupés par la moitié, les poireaux détaillés en biseaux et les rondelles d'oignon. Disposez du sel de Guérande sur les jaunes d'œufs. Donnez un tour de moulin à poivre. Décorez de pluches de cerfeuil. Servez tiède.

Notre conseil : selon leur degré de maturité, les poireaux sont plus ou moins longs à cuire. Au bout de 10 mn d'ébullition, vérifiez la cuisson avec la pointe d'un couteau : ils doivent être moelleux.

ASSEZ FACILE   **LONG**

Salade de homard

Préparation : 1 h
Cuisson : 8 mn

Ingrédients
(pour 4 personnes)

- 2 homards de 500 g
- court-bouillon corsé
- sel, poivre
- vinaigrette

Garniture de légumes :

- 300 g de haricots verts
- 6 radis rouges
- 1 carotte
- 1 navet
- 2 branches d'aneth
- 1 courgette
- 1 trait d'huile d'arachide
  + huile d'olive

1 Plongez les homards ficelés dans le court-bouillon bouillant. Au bout de 7 mn, stoppez la cuisson. Laissez-les refroidir.

2 Faites cuire croquants 8 mn les haricots verts cassés dans l'eau bouillante salée.

3 Taillez navet et carotte épluchés. Faites-les cuire séparément (3 mn le premier et 7 mn la seconde) dans l'eau salée avec un trait d'huile.

4 Poêlez la courgette taillée en rondelles dans un peu d'huile d'olive.

5 Egouttez les homards. Récupérez le corail. Coupez les crustacés en 2 dans le sens de la hauteur. Décortiquez les pattes. Sortez la queue de chaque carapace. Coupez-la en tranches et reconstituez-la en intercalant rondelles de courgette et de radis rouges. Dispersez le reste de légumes et l'aneth. Assaisonnez de vinaigrette.

6 Décorer avec le corail et ajouter le reste dans la vinaigrette.

ASSEZ FACILE　　**TRÈS RAPIDE**

Préparation : 20 mn
Cuisson : 5 à 7 mn

Ingrédients
(pour 4 personnes)

- 8 filets de rougets
- 16 rondelles de tomates fraîches
- 8 cuil. à soupe de dés de poivrons
- 1 cuil. à café de thym
- 4 zestes de citron en julienne
- 12 cuil. à soupe de vin blanc
- 4 cuil. à soupe d'huile d'olive
- sel, poivre

Salade de rougets en papillote

1 Etalez à plat un rectangle de papier d'aluminium. Avec un pinceau, badigeonnez la moitié d'huile d'olive. Salez, poivrez. Disposez 4 rondelles de tomates. Assaisonnez à nouveau. Ajoutez une cuillerée de dés de poivrons.

2 Posez 2 filets de rougets salés et poivrés. Recouvrez-les d'une cuillerée de dés de poivrons. Aromatisez de thym et de zestes de citron blanchis et coupés en lamelles. Mouillez de 3 cuil. à soupe de vin blanc. Arrosez d'huile d'olive. Salez, poivrez. Refermez soigneusement le papier d'aluminium en pinçant tout le tour.

3 Réalisez les 3 autres papillotes de la même façon. Faites-les cuire 3 mn sur le barbecue ou 5 à 7 mn dans le four préchauffé à (th.7-210°).

4 Laissez refroidir à température ambiante.

ASSEZ FACILE **LONG**

Préparation : 45 mn
Cuisson : 40 mn

Ingrédients
(pour 4 personnes)

- 1 lapin de 1,8 kg
- 25 cl de chablis
- 2 carottes
- 2 gros oignons
- 3 clous de girofle
- 10 baies de genièvre
- 1 poireau
- 1 belle branche de céleri
- 2 feuilles de laurier
- thym
- gros sel
- poivre mignonnette
- 6 feuilles de gélatine
- 300 g de persil frais

Terrine de lapin en gelée

1 Coupez ou faites couper le lapin en 8 morceaux. Piquez les oignons de clous de girofle. Versez les légumes coupés en dés dans la cocotte contenant 2 litres d'eau. Ajoutez le thym, le laurier, le gros sel, le poivre mignonnette, le chablis, les baies de genièvre et les morceaux de lapin. A ébullition baissez le feu et laissez cuire 40 mn.

2 Egouttez les morceaux de lapin. Disposez-les dans un plat en les recouvrant d'un torchon humide. Faites réduire le court-bouillon jusqu'à obtention d'un litre de liquide. Retirez les oignons et les carottes. Egouttez-les et détaillez-les en dés.

3 Filtrez le jus de cuisson. Faites dissoudre dedans les feuilles de gélatine ramollies dans l'eau froide et égouttez-les. Disposez les morceaux de lapin dans une terrine en terre. Dispersez sur la viande les dés de carotte, d'oignon et le persil haché finement. Versez la gelée liquide et mettez à refroidir au réfrigérateur.

ASSEZ FACILE **LONG**

Préparation : 40 mn
Cuisson : 10-15 mn

Ingrédients
(pour 4 personnes)

- 24 grosses asperges
- 200 g de parmesan râpé
- 20 cl de vinaigre
  de Xérès
- 200 g de beurre
- sel, poivre

4 cercles de 10 cm
de diamètre

Asperges poêlées croustilles de parmesan

---

1 Préchauffez le four (th.4-120°). Recouvrez une plaque du four de papier d'aluminium. Posez les cercles dessus. Sur une épaisseur de 1 à 2 mm, remplissez le fond de parmesan. Tassez le fromage avec une fourchette. Enfournez 10 à 15 mn.

2 Sortez les croustilles de parmesan du four. Laissez-les refroidir sans les décercler. Epluchez les asperges. Faites-les cuire 8 mn dans l'eau bouillante fortement salée. Rafraîchissez-les. Egouttez-les, épongez-les et faites-les rôtir 2 à 3 mn dans une noisette de beurre.

3 Laissez fondre le reste de beurre dans une casserole, sans le remuer. Enlevez l'écume qui se forme sur la surface. Filtrez. Remettez le beurre clarifié obtenu sur le feu. Faites-le chauffer jusqu'à la coloration noisette. Filtrez-le, assaisonnez et émulsionnez avec le vinaigre pour obtenir une vinaigrette. Servez-la avec les asperges et les croustilles de parmesan.

Notre conseil : après avoir poêlé les asperges, épongez-les pour éliminer l'excès de matière grasse.

Curry de légumes

ASSEZ FACILE   **LONG**

Préparation : 1 h
Cuisson : 45 mn

Ingrédients
(pour 6 personnes)

- 2 aubergines
- 3 courgettes
- 2 pommes de terre
- 1 poivron rouge
- 1 poivron vert
- 4 tomates
- 1 petit chou-fleur
- 3 cuil. à soupe d'huile
- 1 cuil. à café de curcuma
- 1 cuil. à café de cumin en poudre
- 1 cuil. à café d'anis vert
- 1 pincée de piment doux en poudre
- sel, poivre
- 1 cuil. à soupe de sucre roux

1 Epluchez et lavez les aubergines, les courgettes, les pommes de terre. Lavez les poivrons, équeutez-les, évidez-les. Plongez les tomates 30 secondes dans l'eau bouillante et pelez-les.

2 Otez les feuilles vertes et les grosses tiges du chou-fleur et lavez-le. Coupez tous les légumes en morceaux égaux d'environ 3 cm et le chou-fleur en petits bouquets.

3 Faites chauffer 2 cuil. à soupe d'huile dans une cocotte à fond épais, et faites revenir les pommes de terre. Réservez. Faites brunir les bouquets de chou.

4 Ajoutez tous les autres légumes dans la cocotte ainsi que les pommes de terre. Faites revenir l'ensemble environ 5 mn en remuant.

5 Mélangez entre elles les épices, saupoudrez-en les légumes, salez, poivrez, remuez et versez dans la cocotte la valeur d'un verre d'eau.

6 Couvrez et laissez cuire à feu doux 15 mn en remuant délicatement les légumes régulièrement. Ajoutez la cuillère à soupe de sucre et poursuivez la cuisson environ 15 mn.

7 Servez bien chaud dans la cocotte et saupoudrez d'anis vert.

ASSEZ FACILE   **LONG**

Préparation : 30 mn
Cuisson : 25 mn

Ingrédients
(pour 4 personnes)

- 800 g de salsifis pelés
  (ou surgelés)
- 400 g de girolles
  au naturel
- 2 dl de crème
  fraîche liquide
- 50 g de beurre
- 1/2 bottillon de
  ciboulette ciselée
- sel, poivre

Étuvée de salsifis
et de girolles

1 Nettoyez et lavez rapidement les girolles
ainsi que les salsifis ; coupez les girolles en
deux dans le sens de la longueur. Détaillez
les salsifis en tronçons de 5 cm de long puis
en fins filaments.

2 Dans une casserole, mettez 25 g de beurre
à fondre, ajoutez les salsifis, salez, poivrez
et faites-les cuire 10 mn environ sur feu
moyen.

3 Mettez le reste de beurre à fondre dans une
poêle et faites cuire les girolles 10 mn, sur
feu moyen ; ajoutez la crème fraîche, salez,
poivrez et prolongez la cuisson de 5 mn.

4 Sur chaque assiette, disposez les salsifis en
leur donnant la forme d'un nid et mettez
les girolles au centre.

5 Saupoudrez de ciboulette ciselée et nappez
de la sauce des girolles.

Notre conseil : si les salsifis ont tendance à
noircir, citronnez-les légèrement avant de les
cuire. Les girolles peuvent être remplacées
par d'autres champignons des bois, cèpes ou
morilles.

Préparation : 30 mn
Cuisson : 60 à 75 mn

Ingrédients
(pour 4 personnes)

- 6 bulbes de fenouil
- 3 dl d'huile d'olive
- 4 gousses d'ail
- 4 tomates pelées
- 100 g d'olives noires
- 50 cl de vin blanc
- 1/2 baguette de pain
- 8 filets d'anchois
- sel, poivre

Fenouils braisés à la niçoise

1 Nettoyez les fenouils et retirez les feuilles extérieures. Coupez les bulbes en 2 dans le sens de la hauteur. Dans une casserole à fond épais faites-les revenir avec l'huile d'olive. Assaisonnez puis ajouter les gousses d'ail non épluchées, les olives dénoyautées, les tomates.

2 Déglacez avec le vin blanc. Couvrez et mettez à cuire à feu doux 60 mn. Débarrassez les fenouils dans une terrine en porcelaine. Recouvrez-les de leur jus de cuisson. Ajoutez un trait d'huile d'olive. Laissez macérer une nuit au réfrigérateur. Servez avec du pain grillé frotté à l'ail et garni de filets d'anchois.

Notre conseil : les fenouils ainsi préparés se mangent froids. Ils doivent être fondants à cœur. Ajoutez quelques graines de fenouil pour appuyer le goût anisé.

33

ASSEZ FACILE

LONG

Préparation : 25 mn
Cuisson : 50 mn

Ingrédients
(pour 6-8 personnes)

• 8 œufs
• 80 g de crème fraîche
• 1 dl de lait
• 3 cuil. à soupe de
maïzena
• sel, poivre
• noix de muscade

Macédoine :

• 2 carottes
• 1 courgette
• 2 navets
• 300 g de petits pois

Coulis :

• 500 g de carottes
• 1/2 citron
• 100 g de crème fraîche
• 20 g de beurre
• sel, poivre

Flan de légumes au coulis de carottes

1 Epluchez, lavez et taillez en petits dés les carottes, les navets et la courgette ; écossez les petits pois et mettez à cuire tous ces légumes à l'anglaise. Ensuite rafraîchissez-les, égouttez-les et réservez-les.

2 Faites dissoudre la maïzena dans le lait. Battez les œufs, salez et poivrez. Ajoutez de la noix de muscade râpée, 80 g de crème fraîche et le mélange lait et maïzena ; mélangez bien le tout.

3 Beurrez légèrement une terrine, garnissez-la de légumes et recouvrez avec le mélange. Faites cuire la terrine au bain-marie et au four pendant 50 mn.

4 Coulis : épluchez les carottes, coupez-les en rondelles et laissez-les cuire à l'anglaise (gardez l'eau de cuisson). Lorsqu'elles sont très cuites, rafraîchissez-les, égouttez-les et mixez-les finement. Ajoutez le jus du demi-citron, la crème fraîche, 20 g de beurre et éventuellement un peu du jus de cuisson si le coulis est trop épais. Salez et poivrez.

5 Servez le coulis froid avec la terrine. Vous pouvez remplacer le coulis de carottes par un coulis de tomates aromatisé de basilic frais haché.

FACILE   **LONG**

Préparation : 20 mn
Cuisson : 1 h

Ingrédients
(pour 4 personnes)

- 3 aubergines
- 5 tomates
- 2 poivrons jaunes
- 150 g de filets
  d'anchois
- thym, laurier, ail
- huile d'olive

Tian aux anchois

1 Lavez soigneusement les aubergines et coupez-les en demi-rondelles épaisses. Faites-les cuire à la vapeur pendant 10 mn.

2 Lavez les poivrons, égrenez-les, taillez-les en lanières. Lavez et coupez les tomates en demi-rondelles. Huilez et aillez un plat.

3 Disposez les légumes en alternant les demi-rondelles de tomates et d'aubergines. Disposez quelques lanières de poivron à la surface du plat. Parsemez de thym, de laurier et de filets d'anchois. Recouvrez d'un filet d'huile d'olive et faites confire à four moyen (th. 5/6-150 à 180°) pendant 1 heure.

Notre conseil : si vous servez ce gratin en plat unique, vous pouvez utiliser d'autres légumes comme des oignons ou des courgettes ainsi que du fromage râpé (parmesan).

ASSEZ FACILE **LONG**

Préparation : 45 mn
Cuisson : 45 mn

Ingrédients
(pour 4 personnes)

• 2 aubergines
• 3 soles de 300 g levées
en filets
• 1/2 litre de fumet
de poisson
• 4 cuil. à soupe d'huile
d'olive
• 1 poivron rouge
• 4 gros radis rouges
• 20 cl de crème fouettée
• sel, poivre

Aubergines farcies
aux filets de sole

1 Coupez les aubergines en tronçons de 3 cm.
Evidez-les en laissant un demi-centimètre
de chair. Assaisonnez et arrosez d'un filet
d'huile d'olive. Recouvrez de papier d'aluminium et faites cuire 45 mn dans le four
préchauffé (th.5-150°).

2 Assaisonnez les filets de sole. Enroulez-les
et ficelez-les. Immergez-les dans le fumet
de poisson. Portez à ébullition. Couvrez,
éteignez le feu et laissez refroidir dans le
fumet.

3 Ôtez la ficelle qui maintient les filets de sole
et posez un filet sur chaque tronçon d'aubergine.

4 Coupez la chair d'aubergine et le poivron
en dés. Faites-les confire séparément dans
l'huile d'olive. Laissez refroidir. Egouttez,
mélangez puis assaisonnez. Répartissez
cette julienne de légumes dans les assiettes.
Posez les aubergines farcies d'un filet de
sole. Décorez d'une rondelle de radis sur-
montée d'une noix de crème fouettée.

Notre conseil : pour éviter que les filets de sole
se recroquevillent à la cuisson, entaillez-les
légèrement sur les bords.
Tous les ingrédients peuvent être cuits la veille
et réfrigérés.
Au lieu de ficeler les filets de sole, vous pouvez les maintenir enroulés à l'aide d'une pique
que vos ôterez après cuisson.

ASSEZ FACILE

RAPIDE

Préparation : 15 mn
Cuisson : 20 mn

Ingrédients
(pour 4 personnes)

• 600 g de filet
de cabillaud avec peau
• 130 g de beurre
• 6 cuil. à soupe d'huile
d'arachide
• 1 tête d'ail
• 250 g de pâtes fraîches
• 1 cuil. à soupe d'huile
d'olive
• sel, poivre

Pistou :
• 1 cuil. à soupe
de basilic
• 1 cuil. à café d'ail
en purée
• 4 cuil. à soupe d'huile
d'olive vierge

Cabillaud sur peau
à l'effilé d'ail

1 Dans une poêle antiadhésive faite cuire tout doucement, sur peau, sans le retourner, le filet de cabillaud entier dans 4 cuil. à soupe d'huile. Le poisson est cuit (20 mn environ) lorsque la chair est blanche, la peau bien croustillante. Salez, poivrez. Réservez au chaud dans un plat. Conservez le jus de cuisson.

2 Mettez à cuire les pâtes fraîches dans de l'eau bouillante salée et additionnée d'1 cuil. à soupe d'huile d'olive.

3 Epluchez la tête d'ail. Emincez les gousses en fines lamelles. Ajoutez 30 g de beurre et 2 cuil. à soupe d'huile au jus de cuisson du poisson. Faites dorer les lamelles d'ail jusqu'à ce qu'elles croustillent comme des amandes. Egouttez-les. Réservez au chaud.

4 Préparez le pistou en mélangeant les ingrédients. Incorporez-le aux pâtes égouttées au terme de la cuisson. Servez en accompagnement du cabillaud coupé en tronçons et saupoudré de lamelles d'ail grillées.

ASSEZ FACILE

LONG

Préparation : 45 mn
Cuisson : 2 h

Ingrédients
(pour 4 personnes)

- 4 loups de 300 à 400 g
- 300 g de fenouils
- 300 g de tomates
- 1/4 de botte
de persil plat
- 1 citron
- 3 à 4 grains de
coriandre
- 3 à 4 anis étoilés
- 25 g de gingembre frais
- 1/4 de botte de cerfeuil,
estragon et basilic
- 6 cuil. à soupe d'huile
d'olive
- sel, poivre

Garniture :

- 12 mini-fenouils
- 4 petites tomates
- 12 pointes d'asperges
- 10 + 6 cl d'huile d'olive
- 15 g de beurre
- 2 gousses d'ail
- 1 branche de thym

Dos de loup rôti au fenouil et au gingembre

1 Plongez les 4 petites tomates dans l'eau bouillante quelques instants, rafraîchissez-les, épluchez-les. Epépinez-les. Taillez des tranches dans la pulpe. Disposez-les dans un plat avec l'ail en chemise, le thym et 10 cl d'huile d'olive. Faites confire 2 heures au four à (th.2-60°).

2 Rincez les loups écaillés, vidés et ébarbés par le poissonnier. Epongez-les et assaisonnez-les. Incisez chaque poisson sur le dos. Plaquez sur leur ventre de fines rondelles de citron entières ou coupées en 2 et le gingembre râpé fin. Réservez.

3 Préchauffez le four (th.6/7-200°). Hachez grossièrement fenouils, tomates, anis étoilés, coriandre, persil plat, cerfeuil, estragon et basilic. Disposez ce hâchis dans un plat allant au four. Posez les loups dessus. Arrosez d'huile d'olive et mettez au four 12 à 15 mn.

4 Passez sous l'eau claire mini-fenouils et pointes d'asperges. Egouttez-les avant de les faire cuire dans 6 cl d'huile d'olive allongée de 2 cuillères à soupe d'eau. Eteignez le feu 5 mn avant le terme d'une cuisson fondante. Salez, poivrez et ajoutez le beurre.

5 Dans le plat de cuisson du poisson, disposez mini-fenouils, asperges et tomates confites en garniture autour des loups. Réchauffez doucement avant de servir en arrosant les poissons du jus de cuisson.

ASSEZ FACILE **RAPIDE**

Préparation : 15 mn
Cuisson : 40 mn

Ingrédients
(pour 4 personnes)

- 4 x 200 g de cabillaud
- 4 bulbes de fenouil
- 1 botte de basilic
- 1/2 botte de cerfeuil
- 1/2 botte d'aneth
- 1 citron
- 4 cuil. à soupe d'huile d'olive
- sel, poivre

Filets de cabillaud poêlés, purée de fenouil

1 Lavez le fenouil soigneusement. Dans une casserole faites chauffer de l'eau salée. A ébullition plongez les bulbes entiers et laissez-les cuire 40 mn à partir du premier bouillon.

2 Effeuillez basilic, cerfeuil et aneth. Lavez-les. Réalisez une vinaigrette avec l'huile d'olive et le citron et assaisonnez. Egouttez le fenouil et pressez-le pour éliminer tout l'excédent d'eau. A l'aide d'un robot ménager réduisez-le en purée. Rectifier l'assaisonnement et réservez au chaud.

3 Dans une poêle antiadhésive poêlez les filets de cabillaud sans ajout de matière grasse. Faites les cuire de façon à ce que la chair reste translucide. Mélangez vinaigrette et herbes. Disposez sur l'assiette purée de fenouil, filet de cabillaud et salade d'herbes.

Notre conseil : achetez le cabillaud avec la peau pour le poêler uniquement côté peau. Vous réaliserez une cuisson à l'unilatérale. Le poisson est cuit lorsque la chaleur monte en surface.

45

ASSEZ FACILE

TRÈS RAPIDE

Préparation : 15 mn
Cuisson : 8 mn

Ingrédients
(pour 4 personnes)

- 2 belles tomates
- 1 bouquet d'aneth
- 1 cuil. à café de graines de coriandre
- 4 beaux filets de poisson
- 40 g de beurre
- 1 citron
- safran, sel, poivre

Poisson en papillotes aux épices

1 Mondez et épépinez les tomates, coupez-les en dés.

2 Ecrasez légèrement les graines de coriandre avec le fond d'un verre. Préchauffez le four à 230°C.

3 Découpez 4 feuilles de papier d'aluminium suffisamment grandes pour y enfermer les filets de poisson et leur garniture. Beurrez chaque feuille et posez dessus 1 filet de poisson. Assaisonnez-le de sel, de poivre, de safran et répartissez sur chacun les graines de coriandre, les dés de tomates et une branche d'aneth. Posez sur le tout une noix de beurre et arrosez d'un filet de citron.

4 Refermez les papillotes en portefeuille en pliant les bords plusieurs fois sur eux-mêmes. Posez les papillotes sur un plat à four et faites-les cuire pendant 6 à 8 mn. Servez dans la papillote.

5 Vous pouvez utiliser le jus de cuisson pour réaliser une sauce : récupérez le jus des 4 papillotes en montez-le avec 40 g de beurre que vous incorporez morceau par morceau.

ASSEZ FACILE **RAPIDE**

Préparation : 40 mn
Cuisson : 10 mn

___

Ingrédients
(pour 6 personnes)

- 1 bar de ligne de 2,5 kg
- 5 bulbes de fenouil
- 1 bocal de tomates confites
- 200 g de petites pommes de terre
- 150 g de girolles
- 1 anis étoilé
- 4 cuil. à soupe d'huile d'olive
- 1 cuil. à soupe de graines de fenouil
- 50 cl de vin blanc
- 10 g de beurre
- huile de friture
- sel, poivre

Tranches de bar grillées au jus de fenouil

1 Demandez au poissonnier de lever les filets de bar et d'enlever la peau. Faites chauffer le gril. Coupez les filets en 6 morceaux. Faites-les griller 1 mn sur un seul côté. Disposez-les dans un sautoir préalablement beurré. Assaisonnez, mouillez à mi-hauteur de vin blanc.

2 Lavez, préparez les fenouils. Mixez-en la moitié. Versez le jus obtenu dans une casserole. Ajoutez l'anis étoilé. Faites réduire de moitié. Eteignez et laissez refroidir. Dans l'eau bouillante salée, faites blanchir 7 mn les pommes de terre (150 g). Taillez le reste des fenouils en lanières, avant de les blanchir 3 mn dans l'eau bouillante.

3 Emincez le reste de pommes de terre en fines lamelles avec une mandoline. Faites-les frire dans l'huile chaude. Egouttez-les, épongez-les, salez-les. Epluchez les pommes de terre blanchies. Préparez les girolles. Faites-les sauter dans l'huile d'olive. Egouttez-les.

4 Disposez les tranches de bar grillées dans un plat. Faites-les cuire 8 mn dans le four (th.5/6-160°). Dans un sautoir, rassemblez les tomates confites, les pommes de terre épluchées, les girolles. Ajoutez le jus de fenouil à la badiane. Faites mijoter 10 mn à petit feu.

5 Répartissez les légumes de façon harmonieuse sur les assiettes. Posez les tranches de bar. Recouvrez-les de chips de pommes de terre disposées en écailles. Parsemez l'ensemble de quelques graines de fenouil. Nappez de sauce.

ASSEZ FACILE   **LONG**

Préparation : 30 mn
Cuisson : 60 mn

Ingrédients
(pour 6 personnes)

- 6 tourteaux
- 50 g de parmesan
  en lamelles
- 2 dl d'huile d'olive

Garniture de légumes :
- 2 carottes moyennes
- 1 petit oignon
- 3 échalotes
- 2 branches de basilic
- 12 petites tomates
  coupées en 2

Pistou :
- 2 beaux poireaux
- 4 carottes
- 4 petites pommes
  de terre
- 2 courgettes
- 100 g de haricots
  blancs frais
- 2 tranches de poitrine
  de porc fumé
- 6 tomates mondées
- 1/2 oignon
- 2 branches de basilic
  en petits dés
- 2 dl d'huile d'olive

Crabes tourteaux au pistou

1 Faites cuire les tourteaux 10 mn à l'eau bouillante légèrement salée. Décortiquez-les sans les abîmer. Conservez les carapaces.

2 Faites revenir 5 mn à feu doux dans l'huile d'olive le plastron et les coques des pattes et des pinces concassées. Ajoutez la garniture de légumes, la matière crémeuse du crabe et la moitié du corail. Mouillez avec 3 litres d'eau. Laissez cuire sans couvrir 30 mn jusqu'à l'obtention de 2 litres de fumet de crabe. Filtrez. Réservez 1 litre au chaud.

3 **Pistou :** Détaillez en petits dés les tomates mondées. Faites revenir dans 1 cuil. à soupe d'huile d'olive la poitrine de porc. Ajoutez la garniture coupée en petits cubes. Laissez compoter tout doucement 10 à 15 mn en remuant régulièrement avec une cuillère.

4 Mouillez les légumes de la garniture par petite quantité jusqu'à utilisation du litre de fumet de tourteau. Continuez la cuisson jusqu'à ce que les légumes soient très imprégnés et bien cuits.

5 Passez sous l'eau chaude chaque coque de tourteau, essuyez-les bien, disposez-les dans les assiettes creuses. Répartissez dans chacune d'elles la chair de crabe, les légumes. Mouillez les légumes avec le litre de fumet réservé au chaud.

6 Au moment de servir arrosez de 4 à 5 gouttes d'huile crue et ajoutez quelques tranches fines de parmesan ainsi que du basilic haché.

ASSEZ FACILE   **LONG**

Préparation : 40 mn
Cuisson : 20 mn env.

Ingrédients
(pour 4 personnes)

- 1 litre de moules
- 300 g de persil frisé
- 300 g de pommes de terre de Noirmoutier
- 100 g de beurre
- 4 échalotes
- 2 cl d'huile d'olive
- 1 dl de vin blanc
- 1 botte de ciboulette
- ail + bouquet garni
- sel, poivre du moulin

Marinière de moules

1 Faites cuire sur feu vif à couvert les moules bien nettoyées jusqu'à leur ouverture avec 3 échalotes émincées, le vin blanc, les queues de persil et le poivre. Décoquillez-les à l'exception de 8 d'entre elles.

2 Récupérez le jus de cuisson. Faites-le réduire d'un tiers. Hors du feu incorporez 90 g de beurre. Réservez au chaud. Faites blanchir 15 mn le persil à l'eau bouillante. Refroidissez-le immédiatement dans l'eau additionnée de glaçons. Egouttez-le, pressez-le et mixez-le en purée.

3 Faites cuire les pommes de terre épluchées dans l'eau bouillante salée avec bouquet garni et gousses d'ail. Faites suer une échalote ciselée dans l'huile d'olive et ajoutez les pommes de terre coupées en 2. Assaisonnez.

4 Poêlez les moules dans 10 g de beurre chaud. Egouttez-les sur du papier absorbant. Incorporez la purée de persil au jus de moules. Portez à ébullition, filtrez et mixez. Versez dans une soupière avec les moules et les pommes de terre. Parsemez de ciboulette hachée. Au moment de servir décorez avec les moules en coquille.

Notre conseil : émulsionnez le jus de persil au mixeur pour qu'il soit bien mousseux.
Servez avec du pain grillé et du beurre salé.

ASSEZ FACILE   **LONG**

Préparation : 20 mn
Cuisson : 1 h 15

Ingrédients
(pour 4 personnes)

- 20 noix de Saint-
Jacques décoquillées
par le poissonnier
- 8 endives
- 10 g de miel
- 25 cl de jus d'orange
tout juste pressé
- 20 cl de jus de volaille
- 1 branche de céleri
- 1 botte de basilic
- 20 g de beurre
- huile de friture
- sel, poivre

Noix de Saint-Jacques sur fondue d'endives

1 Lavez et égouttez les noix de Saint-Jacques. Nettoyez les endives. Effeuillez-les puis blanchissez-les 2 à 3 mn dans de l'eau bouillante. Préchauffez le four à (th.5-150°). Dans une petite casserole, chauffez le miel jusqu'à obtention d'un caramel blond. Mettez-y les endives blanchies bien égouttées. Déglacez avec le jus d'orange, assaisonnez, puis mettez à compoter 1 heure au four.

2 Egouttez les endives en fin de cuisson. Récupérez leur jus, faites-le réduire de moitié, puis incorporez-y le jus de volaille. Laissez cuire cette sauce pendant encore 10 mn, puis filtrez-la. Goûtez et rectifiez l'assaisonnement.

3 Faites frire céleri et basilic quelques secondes dans l'huile à 140°. Egouttez-les sur du papier absorbant. Dans une poêle, faites cuire les noix de Saint-Jacques dans le beurre chaud, environ 2 mn de chaque côté. Disposez-les sur la fondue d'endives. Nappez de sauce.

Notre conseil : vous pouvez utiliser du jus de volaille que vous aurez réservé au frais à cet effet lors d'un repas précédent, ou bien le réaliser à base de préparation déshydratée.

FACILE **RAPIDE**

Préparation : 45 mn
Cuisson : 10 mn

Ingrédients
(pour 6 personnes)

- 600 g de moules de bouchot
- 300 g de coques
- 300 g de palourdes
- 30 cl de vin blanc sec
- 2 citrons limes
- 6 branches de thym frais
- 6 feuilles de laurier
- poivre du moulin

Papillotes de coquillages à la fleur de thym

1 Nettoyez les moules, puis les coques et les palourdes. Lavez-les soigneusement dans plusieurs eaux. Coupez 6 papillotes de 40 cm de long, dans du papier sulfurisé.

2 Sur chaque carré de papier sulfurisé, répartissez équitablement un mélange des trois coquillages. Arrosez de 5 cl de vin blanc. Ajoutez 2 rondelles de citron vert, 1 branche de thym, 1 feuille de laurier et un tour de poivre du moulin. Refermez soigneusement la papillote.

3 Sur une plaque allant au four, disposez les 6 papillotes. Faites-les cuire dans le four préchauffé (th.8/9-250°). Laissez dans le four jusqu'à ce qu'elles soient bien gonflées.

Notre conseil : faites dégorger les coques au moins 1 heure dans de l'eau fortement salée.

FACILE   **RAPIDE**

Préparation : 30 mn
Cuisson : 15 mn

Ingrédients
(pour 4 personnes)

- 400 g de spaghetti frais
- 250 g de tentacules de petits calmars
- 200 g de tomates fraîches
- 50 g de persil haché
- 3 cl d'huile d'olive
- 1 gousse d'ail
- sel, poivre blanc

Spaghetti frais aux calmars et tomates

1 Faites cuire les pâtes 8 mn dans l'eau bouillante salée. Dans le même temps faites revenir l'ail haché et les tentacules entiers de calmars dans l'huile d'olive chaude. Assaisonnez et laissez cuire 15 mn doucement avec un peu d'eau de cuisson des pâtes.

2 Plongez les tomates quelques minutes dans l'eau bouillante. Epluchez-les, épépinez-les et coupez-les en petits dés. Egouttez les pâtes. Ajoutez-les aux calmars. Versez la julienne de tomates et le persil haché. Salez, poivrez. Faites sauter et servez.

Notre conseil : si vous utilisez de gros calmars, congelez-les auparavant ou mettez-les à pocher 5 mn dans l'eau bouillante, avant de les détailler en lamelles fines.

FACILE **TRÈS RAPIDE**

Préparation : 10 mn
Cuisson : 10 mn

Ingrédients
(pour 4 personnes)

- 8 côtes d'agneau
- 200 g de carottes
- 200 g de courgettes
- 200 g de spaghetti
- 120 g de beurre
- fleur de thym
- 2 cuil. à soupe
d'huile d'arachide
- gros sel
- sel fin, poivre

Côtes d'agneau aux spaghetti et aux légumes

1 Pelez les carottes. Coupez les carottes et les courgettes en allumettes. Faites cuire les premières 4 mn dans de l'eau bouillante salée et les secondes 1 mn.

2 Rafraîchissez les légumes sous l'eau froide, et égouttez-les sur un linge. Faites cuire les pâtes pendant 5 mn environ dans l'eau bouillante salée.

3 Mélangez pâtes et légumes dans une casserole avec une goutte d'eau. Faites cuire de nouveau jusqu'à évaporation. Ajoutez alors 100 g de beurre. Mélangez et assaisonnez.

4 Salez et poivrez les côtes d'agneau. Parsemez-les de fleur de thym. Dans une poêle, faites chauffer l'huile d'arachide avec 20 g de beurre. Faites cuire les côtes d'agneau 4 mn de chaque côté, en les arrosant du jus de cuisson. Servez avec les pâtes mélangée aux légumes.

FACILE **LONG**

Préparation : 20 mn
Cuisson : 1 h 20

Ingrédients
(pour 8 personnes)

- 1 gigot d'agneau
  d'Ecosse
- 2 cuil. à soupe de
  romarin
- sel, poivre

Sauce à la menthe :

- 1 branche de menthe
  fraîche
- 20 cl de vinaigre de vin
  blanc
- 30 g de sucre semoule

Gigot d'agneau rôti sauce à la menthe

1 Assaisonnez généreusement le gigot. Disposez-le dans un plat et saupoudrez-le de romarin. Faites-le cuire 45 mn dans le four préchauffé (th.6-180°). Arrosez la viande fréquemment. Retournez-la et poursuivez la cuisson 35 mn. Sortez l'agneau du four et laissez-le reposer 10 à 15 mn avant de le trancher.

2 Sauce à la menthe : effeuillez la menthe. Hachez finement les feuilles. Ajoutez le sucre et mélangez le tout. Mouillez de vinaigre et mixez.

3 Servez avec des haricots verts et des pommes de terre rissolées.

Notre conseil :
Pour maintenir la viande au chaud lorsque vous la laissez reposer, enveloppez-la dans une feuille de papier d'aluminium et laissez-la à l'entrée du four, porte ouverte.

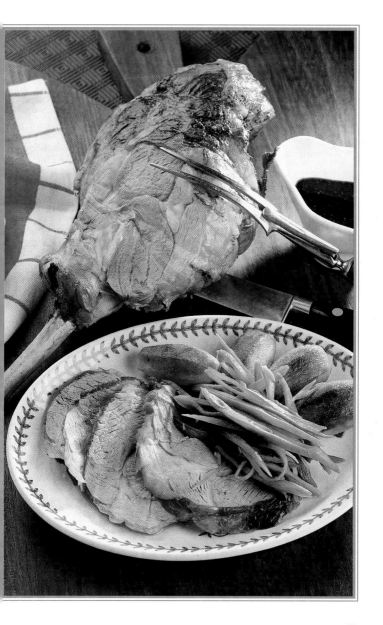

ASSEZ FACILE   **RAPIDE**

Préparation : 30 mn
Cuisson : 10 mn

Ingrédients
(pour 4 personnes)

- 320 g de haricots verts
extra-fins
- 1 filet mignon de veau
- 2,5 cl d'huile de noisette
- 20 g de beurre
- 1 cuil. à soupe d'huile
d'arachide
- 16 noisette entières
- sel

Noisette de veau aux haricots verts

1 Plongez les haricots équeutés dans l'eau bouillante salée. Faites-les cuire 8 mn. Rafraîchissez-les immédiatement dans l'eau glacée. Egouttez-les et réservez-les.

2 Faites griller les noisettes entières sous le gril du four en remuant régulièrement jusqu'à ce qu'elles soient colorées. Coupez le filet mignon en 4 tranches épaisses. Saisissez-les à la poêle dans l'huile d'arachide additionnée de 15 g de beurre puis laissez-les cuire 6 à 7 mn.

3 Faites chauffer l'huile de noisette avec le reste de beurre. Arrosez les haricots verts. Mélangez et rectifiez l'assaisonnement si nécessaire. Disposez les haricots verts sur les assiettes. Posez la noisette de veau dessus. Dispersez les noisettes entières grillées.

Notre conseil : Pour que les haricots verts conservent toute leur saveur, égouttez-les dès qu'ils ont été rafraîchis dans l'eau glacée.
Servez avec quelques pluches de persil frais.

FACILE　　**TRÈS RAPIDE**

Préparation : 15 mn
Cuisson : 8 mn

Ingrédients
(pour 4 personnes)

- 4 filets de tournedos
- 1 sachet de 500 g de fèves
- 500 g de haricots verts
- 500 g de petits pois
- 500 g de jeunes carottes
- 500 g d'asperges blanches
- 500 g de cœurs d'artichauts
- 500 g de petits maïs
- 3 sauces froides pour viandes
- 3 cubes de bouillon de bœuf

Tournedos aux légumes

1 Mettez à cuire les légumes séparément dans de l'eau bouillante salée, ils doivent être *al dente.* Égouttez-les, rafraîchissez-les, mélangez-les et passez-les dans le beurre fondu.

2 Faites dissoudre les trois cubes de bouillon de bœuf dans 1,5 l d'eau. Portez à ébulition. Rectifiez si nécessaire l'assaisonnement. Mettez à pocher les tournedos 8 mn pour une cuisson à point. Égouttez-les. Servez la viande avec les légumes et les 3 sauces froides pour viandes. Assaisonnez la viande de fleur de sel et de poivre.

Courgettes farcies au lapin

Préparation : 45 mn
Cuisson : 1 h 30

Ingrédients
(pour 4 personnes)

- 1/2 lapin désossé (foie + rognons)
- 30 g de petits dés de pain de mie
- 1/2 bouteille de bandol blanc
- 3 échalotes
- 2 oignons
- 1 bouquet garni
- 8 courgettes rondes
- 2 œufs
- 12 cl d'huile d'olive
- 1 petit bouquet de persil
- 4 grosses tomates
- 10 olives noires
- 200 g de mesclun
- jus d'un citron
- 1 branche de basilic
- sel, poivre

1 Hachez au couteau la chair de lapin. Dans une poêle, faites chauffer un peu d'huile d'olive (3 cl). Faites colorez la viande. Ajoutez les oignons hachés, les échalotes ciselées et le bouquet garni. Mélangez puis déglacez au vin blanc. Faites cuire sans couvercle jusqu'à évaporation totale du vin.

2 Augmentez le feu, pour faire colorer les sucs de cuisson de la viande. Enlevez le récipient du feu. Incorporez la mie de pain, le persil haché et les œufs entiers. Mélangez le tout. Salez, poivrez. Réservez.

3 Lavez les courgettes. Coupez le dessus à l'horizontale. Evidez la chair sans percer la peau. Farcissez les courgettes, chapeautez-les. Disposez-les dans une cocotte à fond épais. Arrosez-les d'un verre d'eau additionnée de 2 cuil. à soupe d'huile d'olive. Couvrez et faites cuire 1h30 dans le four préchauffé (th.5-150°).

4 Poêlez le foie et les rognons du lapin dans un peu d'huile d'olive. Assaisonnez-les. Plongez quelques secondes les tomates dans l'eau bouillante. Rafraîchissez-les, pelez-les, épépinez-les et coupez-les en dés. Emulsionnez jus de citron et restant d'huile d'olive. Ajoutez le basilic haché et les olives émincées.

5 Assaisonnez le mesclun avec cette vinaigrette. Ajoutez le foie et les rognons coupés en petits dés. Disposez du mélange de salade sur les assiettes avec les courgettes farcies.

ASSEZ FACILE **LONG**

Préparation : 30 mn
Cuisson : 30 mn
Marinade : 12 h

Ingrédients
(pour 4 personnes)

• 4 belles cuisses de lapin
• 300 g d'oignons doux
(violets ou blancs)
• 1 bulbe de fenouil
• jus de 1 citron
• 4 cuil. à soupe d'huile
d'olive
• 6 feuilles de menthe
• 2 yaourts nature
• 1/4 de concombre
• 1 pointe de curry
• sel, poivre
• 1 tomate

✳

Marinade :
• jus de 2 citrons verts
• 4 gousses d'ail
• 4 cuil. à soupe
de nuoc mâm

Cuisses de lapin grillées et salade d'oignons doux

1 La veille réalisez 12 incisions sur les cuisses de lapin à l'aide d'un couteau pointu. Roulez-les dans la marinade composée du jus des citrons verts, du nuoc mâm et de l'ail haché fin.

2 Emincez fenouil et oignons. Assaisonnez-les de citron, d'huile d'olive et de menthe ciselée (4 feuilles). Epluchez le concombre. Détaillez-le en petits dés et mélangez-le aux yaourts assaisonnés de sel, poivre, curry et menthe ciselée (2 feuilles).

3 Faites cuire les cuisses 30 mn dans le four préchauffé (th.6/7-190°). Disposez-les sur l'assiette. Ajoutez la salade d'oignons et de fenouil, le concombre assaisonné. Décorez de tomate et de menthe.

71

FACILE   **RAPIDE**

Préparation : 20 mn
Cuisson : 35 mn

Ingrédients
(pour 4 personnes)

• 4 cuisses de poulet
• 6 cuil. à soupe de
chapelure
• 4 cuil. à soupe de
moutarde à l'estragon
• 1 cuil. à soupe
de vinaigre de vin
• sel, poivre du moulin

Papillotes de poulet à l'estragon

1 Découpez 4 rectangles de papier d'aluminium. Préchauffez le four (th.8-240°). Etalez la chapelure sur une assiette. Délayez la moutarde avec le vinaigre. Poivrez légèrement les cuisses de poulet. Tartinez-les de moutarde, roulez-les dans la chapelure et saupoudrez-les d'estragon.

2 Disposez chaque cuisse de poulet au centre de la feuille d'aluminium. Refermez soigneusement les papillotes. Rangez-les dans un plat allant au four. Laissez cuire 35 mn. Servez aussitôt en laissant à chaque convive le soin de déplier sa papillote.

Notre conseil : si vous n'aimez pas la moutarde à l'estragon, remplacez-la par la moutarde de Meaux en grains. Panez alors le poulet avec du pain d'épices écrasé.

FACILE **LONG**

Préparation : 30 mn
Cuisson : 20 + 10 mn

Ingrédients
(pour 4 personnes)

- 1 pintade fermière
- 1 kg de poireaux nouveaux
- 25 cl d'huile d'arachide
- 10 baies de genièvre
- sel, poivre

Pintade fermière vapeur

1 La veille : demandez à votre volailler de lever les 2 filets et les 2 cuisses de la pintade. Disposez-les dans une terrine. Arrosez-les d'huile d'arachide. Ajoutez les baies de genièvre. Couvrez et laissez infuser 24 heures.

2 Le lendemain : épluchez et coupez les jeunes poireaux. Lavez-les soigneusement pour éliminer le sable. Disposez-les dans le compartiment vapeur. Salez-les, poivrez-les. Faites-les cuire pendant 15 mn.

3 Egouttez les cuisses et les blancs de pintade. Lorsque l'eau du cuit-vapeur bout, posez le panier contenant les cuisses de pintade assaisonnées. Couvrez. Faites cuire 15 à 20 mn. Ajoutez les blancs salés et poivrés. Poursuivez la cuisson 10 mn. Ajoutez les poireaux. Poursuivez la cuisson quelques minutes. Servez sans attendre.

Notre conseil : cuisez la pintade avec la peau pour préserver son moelleux. Enlevez-la dès que la cuisson est achevée.

75

FACILE

LONG

Préparation : 30 mn
Cuisson : 25 mn

Ingrédients
(pour 4 personnes)

- 1 poulet de 1,5 kg
- 1 petit bouquet
  de persil
- 1 branche de thym
- 2 feuilles de laurier
- 4 cives ou ciboulette
- 1 petit piment
- 1 ou 2 gousses d'ail
- 1 mangue
- 4 cuil. à soupe d'huile

Marinade :

- 1/2 bouteille de vin
  rouge
- 2 clous de girofle
- 1 oignon émincé
- sel, poivre

Poulet à la mangue

1 Préparez la marinade en mélangeant tous les ingrédients. Coupez le poulet en morceaux. Mettez-le à mariner 1 heure.

2 Dans une cocotte faites dorer avec l'huile les morceaux de poulet bien égouttés. Ajoutez l'ail haché. Mouillez légèrement avec le jus de la marinade.

3 Laissez réduire le jus pendant que les morceaux de poulets brunissent. Versez le reste de la marinade avec le laurier, le thym, le persil, les cives et un peu de piment.

4 Coupez la mangue en lamelles. Ajoutez-la au poulet et poursuivez la cuisson 5 mn environ. Servez.

Notre conseil : pour plus de saveur, faites mariner le poulet plusieurs heures avant de le faire dorer. Lors de la cuisson ajoutez un cube de bouillon concentré de poulet.
Accompagnez de riz blanc et d'un vin frais.

ASSEZ FACILE

RAPIDE

Rôti de dinde aux pomelos roses

Préparation : 30 mn
Cuisson : 20 mn

___

Ingrédients
(pour 4 personnes)

- 1 filet de dinde (800 g)
- 10 cl de cognac
- 3 échalotes
- 10 + 50 g de beurre
- 1 cuil. à soupe d'huile
- 3 pomelos roses
- 30 cl de jus de pomelos roses
- 1 botte de cerfeuil
- brins de ciboulette
- sel, poivre

1 Ficelez le filet de dinde comme un rôti. Dans un mélange beurre (10 g) et huile, saisissez la viande sur toutes les faces. Assaisonnez-la. Poursuivez la cuisson 8 mn au four préchauffé (th.6-180°). Ajoutez les échalotes émincées. Flambez au cognac et débarrassez la viande.

2 Déglacez la cocotte au jus de pamplemousses. Faites réduire le liquide de moitié. Laissez tiédir et montez la sauce au beurre. Passez-la. Ajoutez dedans les quartiers de pomelos épluchés à vif. Assaisonnez et servez avec la volaille.

Notre conseil : laissez reposer la viande au chaud 10 mn, à la sortie du four.

DIFFICILE   **LONG**

Préparation : 50 mn
6 h à l'avance
Cuisson : 35 mn

Ingrédients
(pour 6 personnes)

Bavarois :
- 200 g de fromage blanc à 20 %
- 2 dl de sirop d'abricot ou de fruits de la passion
- 1 blanc d'œuf
- 1 dl de crème fouettée
- 5 feuilles de gélatine

✳

Crème anglaise :
- 4 jaunes d'œufs
- 2,5 dl de crème fraîche
- 1 gousse de vanille
- 30 g de sucre en poudre

✳

Salade de fruits :
- 1 petit ananas frais
- 1 mangue • 2 kiwis
- 200 g de fraises
- 1 cuil. à soupe de sucre en poudre
- 1 cuil. à soupe de kirsch

✳

Coulis de framboises :
- 200 g de framboises
- le jus d'1/2 citron
- 75 g de sucre en poudre

Bavarois au fromage blanc et aux fruits

1 Bavarois : préparez la crème anglaise vanillée. Travaillez les jaunes d'œufs avec le sucre. Faites tiédir la crème avec la gousse de vanille fendue. Versez progressivement sur les œufs et faites épaissir sur feu doux. Retirez avant ébullition, lorsque la crème nappe la cuillère.

2 Ajoutez la gélatine que vous aurez fait tremper 5 mn dans un bol d'eau froide. Laissez refroidir en remuant fréquemment.

3 Battez vigoureusement le fromage blanc pour le lisser parfaitement. Ajoutez-lui le sirop de fruits, la crème anglaise refroidie, la crème fouettée et, pour terminer, le blanc d'œuf battu en neige.

4 Mouillez un moule à bavarois (ou un moule en couronne). Versez la préparation. Mettez au réfrigérateur.

5 Salade de fruits : épluchez l'ananas et détaillez-le en tranches fines. Avec un vide-pommes, ôtez le canal central. Recoupez les tranches en deux. Pelez la mangue et les kiwis, puis détaillez-les en tranches fines. Lavez et équeutez les fraises.

6 Mettez tous les fruits à plat dans une grande assiette. Saupoudrez de sucre et parfumez avec le kirsch. Laissez en attente au frais.`

7 Coulis : mixez les framboises avec le jus de citron et le sucre. Filtrez (facultatif) et tenez au frais.

8 Montage : démoulez le bavarois au centre d'un plat. Disposez autour une collerette de fruits, en alternant les couleurs. Servez accompagné du coulis.

Papillote de fruits

ASSEZ FACILE

TRÈS RAPIDE

Préparation : 10 mn
Cuisson : 5 mn

Ingrédients
(pour 4 personnes)

- 1 pomelo rose
- 12 fraises
- 2 kiwis
- 8 têtes de menthe fraîche
- 8 framboises
- sucre en poudre

Coulis d'orange :

- 2 oranges
- 10 g d'eau + 15 g de sucre
- 1 demi-citron

1 Préparez les fruits. Epluchez-les. Taillez le pomelo et les kiwis en rondelles, les fraises en quartiers. Laissez les framboises entières.

2 Répartissez équitablement les fruits sur chaque moitié de feuille d'aluminium. Ajoutez 2 têtes de menthe par papillote. Saupoudrez légèrement de sucre. Refermez hermétiquement en pinçant les bords. Faites cuire 5 mn dans le four préchauffé (th.6/7-200°).

3 Mixez les 2 oranges soigneusement lavées mais non épluchées avec le jus de citron, l'eau et le sucre. Filtrez le coulis obtenu et réservez-le au froid. Ouvrez la papillote et nappez-la de ce coulis.

Notre conseil : laissez le soin à chacun d'ouvrir sa papillote bien gonflée et profiter ainsi des vapeurs de menthe.

ASSEZ FACILE

RAPIDE

Préparation : 20 mn
(hors temps de prise de
la glace)
Cuisson : 20 mn

Ingrédients
(pour 6 personnes)

- 6 pêches bien mûres
- 200 g de sucre roux
- 100 g de beurre
- 2 verres de côtes-de-
  Provence rosé
- 10 feuilles de verveine

Glace :
- 1/2 l de lait
- 16 jaunes d'œufs
- 150 g de sucre
- 1/2 citron
- 40 feuilles de verveine

Pêches rôties
à la verveine

1 Préparation de la glace. Mélangez les jaunes
d'œufs et le sucre. Fouettez l'ensemble
2 mn. Faites bouillir le lait. Versez-le sur le
mélange sans cesser de fouetter. Ajoutez
les 40 feuilles de verveine. Laissez infuser
au bain-marie 30 mn. Passez au chinois fin.
Ajoutez le jus de citron. Laissez refroidir.
Passez à la sorbetière et réservez au congé-
lateur.

2 Ebouillantez les pêches. Retirez la peau.
Rôtissez-les au four 15 mn dans une cocotte en fonte avec le beurre, le sucre, les 10
feuilles de verveine. Déglacez avec le vin.
Retirez les pêches. Laissez caraméliser la
sauce. Passez au chinois fin.

3 Dressez les pêches dans de grandes assiettes
creuses. Nappez avec la sauce. Décorez de
quelques feuilles de verveine. Ajoutez la
glace au dernier moment.

Notre conseil : utilisez si possible de la verveine fraîche.

FACILE   **TRÈS RAPIDE**

Préparation : 20 mn
Cuisson : aucune

Ingrédients
(pour 6 personnes)

- 1 beau melon ou
  2 moyens
- 3 pêches moyennes
- 200 g de framboises
- 200 g de fraises des
  bois (ou groseilles,
  ou raisins),
- 125 g de sucre en
  poudre
- le jus d'un citron
- feuilles de menthe

Salade saturne

---

1 Préparez la salade de fruits : pelez et
  dénoyautez les pêches, puis coupez-les en
  cubes de 2 cm de côté.

2 Triez les framboises et les fraises des bois.
  Laissez en attente au frais.

3 A l'aide d'un couteau bien affûté, épluchez
  le melon sans le couper, puis faites des rondelles de 2 cm de hauteur. Enlevez les
  graines.

4 Déposez une rondelle de melon sur chaque
  assiette, remplissez le centre de salade de
  fruits et décorez de feuilles de menthe.

ASSEZ FACILE

MOYEN

Préparation : 30 mn
Cuisson : 10 mn

Ingrédients
(pour 4 personnes)

- 2 jaunes d'œufs
- 4 blancs d'œufs
- 10 g de sucre semoule
- 10 g d'aspartame
- 200 g de fraises
- 1 cuil. à café de jus
  de citron

Soufflé aux fraises

1 Mixez les fraises. Filtrez le jus dans un chinois. Pour la réalisation de cette recette 12 cuillères à soupe de jus de fraise sont nécessaires.

2 Mélangez les jaunes d'œufs avec le sucre semoule et 4 cuil. à soupe de jus de fraises. Montez les blancs d'œufs en neige ferme avec l'aspartame. Mélangez délicatement les deux préparations.

3 Beurrez un moule à soufflé. Remplissez-le à ras bord de préparation. Faites cuire 10 mn dans le four (th.7-210°). Servez aussitôt avec le reste de jus de fraise additionné du jus de citron.

Notre conseil : ne jamais ouvrir la porte du four pendant la cuisson du soufflé. Faites préchauffer le four lors de la préparation.

ASSEZ FACILE **RAPIDE**

Préparation : 30 mn
Réfrigération : 4 h

Ingrédients
(pour 4 personnes)

- 5 pamplemousses
- 10 oranges
- 2 citrons
- 5 feuilles de menthe
  ciselée

Gelée d'agrumes :
- 1 litre de jus d'orange
- 300 g de sucre
- 200 g de vin de
  jurançon
- 1/2 bâton de cannelle
- 2 clous de girofle
- 2 gousses de vanille
- 50 g de gélatine

Terrine d'agrumes à la menthe fraîche

1 Chemisez soigneusement une terrine rec tangulaire de papier film en laissant dépas ser 10 cm de chaque côté. Réservez-la a réfrigérateur. Epluchez les agrumes à vif Coupez chaque quartier de façon à obteni des segments débarrassés de leur peau Egouttez-les sur un torchon et réservez-les

2 Confection de la gelée : faites bouillir le ju d'orange et le sucre. Retirez du feu et ajou tez le jurançon, la cannelle, les clous de girofle et la vanille ouverte en deux sur la longueur. Laissez infuser 15 mn. Faite ramollir les feuilles de gélatine dans l'ea froide. Egouttez-les et ajoutez-les à l'infu sion encore tiède. Mélangez bien et filtrez

3 Dans la terrine disposez les tranche d'agrumes, la menthe ciselée et recouvre tout doucement de gelée liquide. Rabatte les pans de papier film. Placez la terrine a réfrigérateur 24 heures. Démoulez et reti rez le film. Avec un couteau à lame fine e tiède découpez des tranches.

Notre conseil : pour que la gelée pénètre bie entre les segments de fruits, remuez ces der niers de la pointe d'un couteau.
Vous pouvez accompagner cette terrine d'u sorbet aux fruits rouges.

INDEX

INDEX

rédits photos :

isa : Bagros, 36 ; Barea, 14 ; Kremmer, 46 ; Muriot, 28, 34 ; Vainstain, 12 ;
alentin, 6, 10, 16, 18, 20, 22, 24, 26, 30, 32, 38, 40, 42, 44, 48, 50, 52, 54,
6, 58, 60, 62, 64, 66, 68, 70, 72, 74, 76, 78, 82, 84, 88, 90 ; Vasseur, 8.
edus : 80, 86.